Título
Chimoc, el perro calato

© Andrea y Claudia Paz, 2006
© Ilustraciones Andrea Paz 2006
© Grupo Editorial Norma S.A.C. 2006
Derechos reservados para todo el mundo.
Canaval y Moreyra 345, San Isidro
Teléfono: 7103000

Fotos: Claudia Paz
Producción ejecutiva: Claudia Paz
Producción musical: Cristóbal Paz
Diseño gráfico: Andrea Paz
Armada electrónica: Silvia Montero

Agradecimientos especiales:
A Dios, a Aida Luz Medrano Benites y Carlos Paz Chávez, nuestros
padres; a Ricardo Hummel por todo su apoyo; a don Abel León Vílchez,
por compartir sus conocimientos sobre el Perro peruano sin pelo; a Elena
Durand, quien permitió las tomas de las fotos de su criadero; a Gisselle
Rodríguez por el teclado de "Vagabundo flaco".

Impreso por Quebecor World Perú S.A.
Av. Los Frutales 344, Ate-Vitarte
Impreso en Perú - Printed in Peru
Junio, 2006

Esta primera edición consta de 3000 ejemplares

C.C. 12192
Hecho el Depósito Legal No 2006-3930

ISBN: 9972-214-86-9

Registro del proyecto editorial No 11501310600327

DISCO DE AUDIO: **Chimoc, el perro calato.**

CANCIONES:

Oigan, amigos (Cristóbal Paz)
Percusión latina: Martín Venegas. Programación Rítmica: Crtistóbal Paz.
Cuerdas: Cristóbal Paz. Voces: Andrea, Claudia y Cristóbal Paz, Magali
Luque

Vamos a la playa (Andrea, Claudia, Cristóbal Paz y Magali Luque)
Programación Rítmica: Cristóbal y Andrea Paz. Percusión: Martín Venegas.
Guitarras: Cristóbal Paz. Teclado: Andrea Paz. Bajo: Magali Luque. Voces:
Andrea, Claudia y Cristóbal Paz, Magali Luque

Chimoc, el superperro (Claudia, Cristóbal y Andrea Paz)
Programación Rítmica: Cristóbal y Andrea Paz . Guitarras: Cristóbal Paz.
Teclado: Andrea Paz. Bajo: Magali Luque. Voz: Magali Luque. Rap: Cristóbal
Paz.

Vamos a contar (Andrea Paz)
Percusión latina: Martín Venegas. Guitarras: Cristóbal Paz. Celesta: Andrea
Paz. Bajo: Magali Luque. Voz: Andrea Paz. Coros: Claudia y Cristóbal Paz,
Magali Luque

Distancia (Claudia y Andrea Paz)
Programación Rítmica: Cristóbal y Andrea Paz. Guitarras: Cristóbal Paz.
Teclado: Andrea Paz. Bajo: Magali Luque. Flauta Traversa: Claudia Paz. Voz:
Claudia Paz. Coros: Andrea y Cristóbal Paz, Magali Luque

Buscando a Chimoc (Claudia Paz)
Programación Rítmica: Cristóbal Paz. Guitarras: Cristóbal Paz. Teclado:
Andrea Paz. Bajo: Magali Luque y Cristóbal Paz. Voz: Cristóbal Paz. Coros:
Andrea y Claudia Paz, Magali Luque

Tamales (Magali Luque y Claudia Paz)
Cajón: Martín Venegas. Guitarras: Magali Luque. Flauta dulce: Claudia Paz
y Magali Luque. Voz: Magali Luque. Coros: Andrea y Claudia Paz

Vagabundo flaco (Magali Luque)
Programación Rítmica: Cristóbal Paz y Martín Venegas. Plumillas: Martín
Venegas. Teclado: Gisselle Rodríguez. Bajo: Magali Luque
Voz: Magali Luque. Coros: Claudia Paz

Todos por amor (Cristóbal y Andrea Paz)
Programación Rítmica: Cristóbal Paz y Andrea Paz. Percusión latina: Martín
Venegas. Teclado: Gisselle Rodríguez. Bajo: Magali Luque
Voz: Magali Luque. Coros: Claudia, Andrea y Cristóbal Paz

LOCUCIÓN:
Claudia Paz Medrano

VOCES:
Clavito y Chimoc: Magali Luque
Gallina y Conejo: Claudia Paz
Cabra y Pollito: Andrea Paz
Cuy: Cristóbal Paz

ARREGLOS MUSICALES:
Cristóbal, Andrea y Claudia Paz, Magali Luque y Martín Venegas.

GRABACIÓN, EDICIÓN, MEZCLA Y MASTERIZACIÓN:
realizados por el técnico de sonido Cristóbal Paz en su estudio ubicado en
Calle Crepi 295, San Borja.
Telfs: 4757943. Cel.: 97818247
E-mail: cristóbalpaz1@hotmail.com

Andrea y Claudia Paz

Chimoc
el perro calato

Hola, amigos, soy Clavito el puercoespín y estoy disfrazado de superperro.

GRUPO
EDITORIAL
norma

http://www.norma.com
Bogotá, Barcelona, Buenos Aires, Caracas, Guatemala, Lima, México, Miami, Panamá,
Quito, San José, San Juan, San Salvador, Santiago de Chile, Santo Domingo.

Un día de verano, Clavito y sus amigos decidieron ir de campamento a la playa. Llevaban carpas, pelotas, baldes, rastrillos para jugar y una canasta con bebidas y frutas para merendar...

Había tantas cosas por llevar que se olvidaron de la sombrilla. Se subieron en el autobús de la señora Gallina y comenzaron a cantar muy contentos, porque les encantaba ir de paseo.

Cuando llegaron a la playa, Clavito y sus amigos se dieron cuenta de que faltaba la sombrilla.

—¡Oh, oh! Olvidamos la sombrilla! —dijo Clavito.

—¿Y ahora, dónde podremos encontrar algo de sombra? —preguntó la Gallina preocupada.

¡Tanto sol podría estropear su cutis!

De pronto vieron a un perro con un extraño
traje sentado debajo de una gran sombrilla.

Clavito se acercó y le preguntó al perro del extraño traje si él y sus amigos podían sentarse debajo de su sombrilla. El perro dijo que sí y así fue como se hicieron amigos.

El perro se llamaba Chimoc
y contó que siempre vestía así.

Llevaba un traje de...

Superperro

Bajo la fresca sombra, Chimoc le contó a sus
nuevos amigos que solo los superperros podían
usar ese traje, que daba fuerza y que nunca se lo
debía quitar...

ni cuando hacía frío

ni cuando hacía calor.

9

todos jugaron con la arena. Hicieron castillos, muñecos, cavaron huecos y trataron de llenarlos con agua que sacaron del mar con sus baldes.

¡Después, decidieron darse un baño en el mar, pues hacía mucho calor!

Pero Chimoc
dijo que no
pensaba entrar
al mar, pues su
traje se iba
estropear.

Así que todos los animales disfrutaron de un refrescante baño en el mar, excepto Chimoc que se quedó, mirando desde la orilla.

Más tarde todos fueron a un restaurante cercano a almorzar. El cuy pidió un camote. Clavito y el Conejo pidieron unas zanahorias, la Gallina y el Pollito pidieron choclo, la Cabra pidió un ceviche y...

—Chimoc, ¿qué vas a pedir? —preguntaron los amigos de la colina, en coro.

—Yo nada, porque si como algo, luego voy a engordar y mi supertraje no me va a quedar. Yo voy a chupar un huesito, nada más.

En la noche, el calor siguió y todos los amigos hicieron abanicos de papel para echarse aire. A pesar del bochorno, Chimoc seguía con su traje puesto... Y aunque sudaba a chorros, no se lo quitó, ni siquiera para dormir.

De pronto, un pequeño insecto se metió dentro del traje de Chimoc y le dio tal picor...

que comenzó a saltar

y a saltar como un loco,

no le quedó más remedio que quitarse su supertraje, y... ¿qué creen que pasó?

Chimoc era tan flaquito como un tallarín y no tenía ni un solo pelo en el cuerpo. Sin su supertraje parecía un alfeñique.

Todos los animales estallaron en carcajadas al verlo tan flaco y pelado.

Avergonzado, Chimoc se fue corriendo...

para escapar de las risas de todos.

Horas más tarde, los animales preocupados porque Chimoc no regresaba, cayeron en cuenta de que habían hecho muy mal en reírse de su nuevo amigo. Por más que lo llamaron y buscaron, no lo encontraron.

Desconsolado, Chimoc se fue caminando hacia el malecón de la playa y se acomodó junto a los pies de una tamalera que estaba sentada descansando, después de una larga jornada, sobre una banca.

La señora sintió que el cuerpo caliente de Chimoc le iba aliviando poco a poco el dolor de sus piernas, y lo dejó dormir profunda y calmadamente a su lado.

Cuando Chimoc despertó a la mañana siguiente, la señora aliviada y muy contenta lo acarició con cariño y le ofreció alimento. Desde ese día la señora lo adoptó como su mascota.

Mientras su nueva ama retomó su trabajo, Chimoc buscó a Clavito y a sus amigos de la colina para contarles lo que le había pasado y para despedirse, pues Chimoc...

¡acompañaría a su ama
a recorrer otras playas!

Clavito le quiso devolver su traje de Superperro, pero Chimoc ya no lo necesitaba, había descubierto que su piel era más poderosa que el traje. Su ama con solo tocarla se había aliviado.

Todos festejaron al nuevo Chimoc, que desde ese día sería conocido como...

el perro calato

Luego,
se tomaron
una foto
para el
recuerdo.
Ese verano
sería
inolvidable.

¿Conoces al Perro peruano sin pelo?

Te damos unas pistas para que sepas reconocerlo.

Los hay desde color marrón oscuro hasta rubios, también los hay manchados, con penachos blancos en las orejas y con graciosas crestas doradas. Su dentadura es casi siempre incompleta. Existen tres tamaños: el pequeño, que mide desde 25 cm a 40 cm de altura; el mediano, que mide desde 40 cm a 50 cm; y el grande que puede llegar a medir hasta 65 cm de altura.

No tienen pelo
(por eso los que viven en climas fríos a veces usan ropita abrigadora)

Tienen las orejas largas

su nariz es puntiaguda

Perritos calientes

La temperatura de estos perros parece más caliente de lo normal, porque, al no tener pelos, se puede sentir el calor de su piel que puede llegar hasta los 40 grados.

Los antiguos peruanos los empleaban como compañía, como guardianes y algunos eran utilizados en ritos ceremoniales.

Aún hoy existe la creencia popular de que el contacto con estos perros cura el reuma, el asma y la bronquitis, incluso se cree que su orina sirve para curar problemas de la piel o inflamaciones de los ojos.

¿Por qué les llaman Perros Chinos?

No se sabe a ciencia cierta el motivo. Algunos afirman que chino se deriva de chimú o chimoc.

Otra historia cuenta que luego de que Ramón Castilla aboliera la esclavitud de los negros, en su reemplazo, trajeron al Perú a miles de chinos pobres y sin la compañía de su familia.

Los chinos, al encontrarse solos, adoptaron como sus mascotas a los perros sin pelo que vagabundeaban por los alrededores. Esta estrecha relación que se dio entre chinos y sus perros dio pie a que se los llamará perros chinos. A lo mejor los chinos les tomarón cariño a los perros peruanos sin pelo, porque en Manchuria, China, hay unos perros parecidos: los de la raza Tai-tai.

En los pueblos del norte del Perú, principalmente en Piura, lo llaman viringo. Curiosamente, en Cajamarca se le dice viringo al maíz que no tiene choclo o al árbol que no tiene ramas. En Colombia, existe la palabra "viringo" que significa desnudo.

En el Perú también los llaman perros calatos, que sería lo mismo que decir perros sin ropa.

Hasta se ha institucionalizado en el calendario nacional el 12 de junio como "Día del Perro sin Pelo del Perú".

En el año 1985, en Ámsterdam (Holanda), fue registrado en la Federación Cinológica Internacional con el nombre de Perro sin pelo del Perú.

Su carácter

Son perros nobles y afectuosos como mascotas. Son excelentes guardianes. Tienen un excelente oído, siempre están atentos y ladran cuando sienten la presencia de algún extraño.

Su historia

No se sabe cómo llegó al Perú. Según algunos historiadores, vino de Asia, otros piensan que de África.

El perro sin pelo ya habitaba en el Perú siglos antes de la llegada a América de Colón. Se han encontrado muchísimas representaciones en ceramios de distintas culturas como Chavín, Mochica, Chancay, Sicuani, Chimú , Vicus, Nazca, que demuestran que este perro fue muy querido por los antiguos peruanos, incluso los chancay les ponían una especie de poncho.